PARA:

DE:

DATA:

Para Gina Williams, em comemoração aos dez anos de dedicação às crianças da Igreja Oak Hills Church

Título original: *I'm not a scared cat: A prayer for when you wish you were brave*

Copyright © 2017 por Max Lucado.

Edição original por Thomas Nelson, Inc. Todos os direitos reservados.

Copyright da tradução © Vida Melhor Editora LTDA., 2019.

Todos os direitos desta publicação reservados por Vida Melhor Editora LTDA.

Publisher	Samuel Coto
Editores	André Lodos e Bruna Gomes
Produção editorial	Beatriz Lopes
Tradução	Carla Bitelli
Revisão	Equipe TNB
Adaptação de capa e miolo	Filigrana

Os pontos de vista desta obra são de total responsabilidade do autor, não referindo necessariamente a posição da Thomas Nelson Brasil, da HarperCollins Christian Publishing ou de sua equipe editorial.

As citações bíblicas são da *Nova Versão Internacional* (NVI), da Bíblica, Inc., a menos que seja especificada outra versão da Bíblia Sagrada.

DADOS INTERNACIONAIS DE CATALOGAÇÃO NA PUBLICAÇÃO (CIP)

L965g   Lucado, Max
1.ed.   Um gatinho corajoso: uma oração para superar o medo / Max Lucado; tradução de Carla Bitelli. – 1.ed. – Rio de Janeiro: Thomas Nelson Brasil, 2020.
32 p.; 25,4 x 25,4 cm.

Tradução de: I'm Not a Scaredy-Cat
ISBN: 978-85-71671-62-1

1.Literatura infantil. 2. Oração. 3. Coragem. 4. Medo. I. Bitelli, Carla. II. Título.

CDD 028.5

Índice para catálogo sistemático:
1. Literatura infantil: oração
2. Coragem: medo

Bibliotecária responsável: Aline Graziele Benitez CRB-1/3129

Thomas Nelson Brasil é uma marca licenciada à Vida Melhor Editora LTDA.

Todos os direitos reservados à Vida Melhor Editora LTDA.
Rua da Quitanda, 86, sala 218 – Centro
Rio de Janeiro – RJ – CEP 20091-005
Tel: (21) 3175-1030
www.thomasnelson.com.br

Este livro foi impresso pela Ipsis em 2023, para a Thomas Nelson Brasil.
O papel do miolo é couché fosco 170g/m² e o da capa é couché fosco 150g/m².

Um Gatinho Corajoso

Uma oração para superar o medo

Max Lucado

Ilustrado por Shirley Ng-Benitez
Tradução: Carla Bitelli

THOMAS NELSON
BRASIL

Caros mamãe e papai,

Todos nós tivemos medos infantis. Quando eu tinha seis anos, meu pai me deixou ficar acordado até mais tarde com o restante da família para assistir ao filme *A verdadeira história do lobisomem*. Como ele se arrependeu dessa decisão! O filme me fez acreditar que aquele lobisomem passava todas as noites rondando nossa casa, à espera de sua refeição favorita: um menininho ruivo e repleto de sardas. Meu medo se tornou um problema. No caminho entre o meu quarto e a cozinha, eu tinha de passar perigosamente perto de suas garras e presas, algo que eu relutava em fazer. Diversas vezes voltava ao quarto do meu pai e o acordava. Como Jesus no barco, meu pai dormia em meio à tempestade.

Como é que alguém consegue dormir numa situação dessas? Ao abrir os olhos sonolentos, meu pai perguntava: "Você está com medo do quê?". E eu o lembrava do monstro. "Ah, sim, o lobisomem", ele resmungava. Então meu pai saía da cama, reunia uma coragem sobre-humana, me acompanhava pelo vale da sombra da morte e me servia um copo de leite.

É isso o que fazem pais e mães. Nós ajudamos nossos filhos a enfrentar seus medos. Não podemos remover todas as fontes de angústia deles, mas podemos prepará-los para enfrentá-las. Ao dar a eles ferramentas para encarar seus medos na infância, estamos, na verdade, preparando-os para lidar com as ansiedades da vida adulta.

Escrevi essa história simples para ajudar crianças a enfrentar seus medos. Oro para que você a considere uma ferramenta útil. Que Deus a utilize, e utilize você, para incutir uma coragem divina no coração de sua criança.

MAX LUCADO

Eu sou um gato grande. Eu sou um gato forte.

Não sou um **gatinho medroso** . . . a não ser quando . . .

Meu patinho de borracha apitou.
Puxa, como ele me assustou!
Eu apertei o brinquedo e, sem nem esperar,
ele soltou um **ALTO E GRANDE**

"QUÁ!"

A banda passando na avenida tocava uma música bem bonita

"tuí-tuí-tuí"

Eles marchavam com fardas
e tocavam suas flautas.
Com um pulo fui parar lá em cima.

Você já passou por algo assim?

Vou contar o que eu faço e por quê.

Quando o barulho está alto ou quando me sinto perdido,
eu digo: **"Deus, posso falar com você?"**

Eu sou um gato grande. Eu sou um gato forte.
Não sou um **gatinho medroso** ... a não ser quando ...

O macaquinho da cabana
comeu uma gostosa banana.
Corri pra debaixo da mesa,
fiquei até sem ar
E se o meu **lenço azul**
ele quisesse pegar?

Uma folha alaranjada
caiu com uma rajada.
Saltei de susto: **zum!**
Depois caí sentado com um
tum . . . .
Fiquei dolorido com a pancada.

Subi no escorregador todo animado,
mas lá de cima tentei não berrar.
Fiquei com medo de deslizar e cair pelos lados.

**E se eu
não conseguisse
PARAR?**

Lá fora é assustador,
e você pode ter medo de uma nova situação.
Mas, quando se sentir tomado **de pavor**,
posso sugerir uma oração?

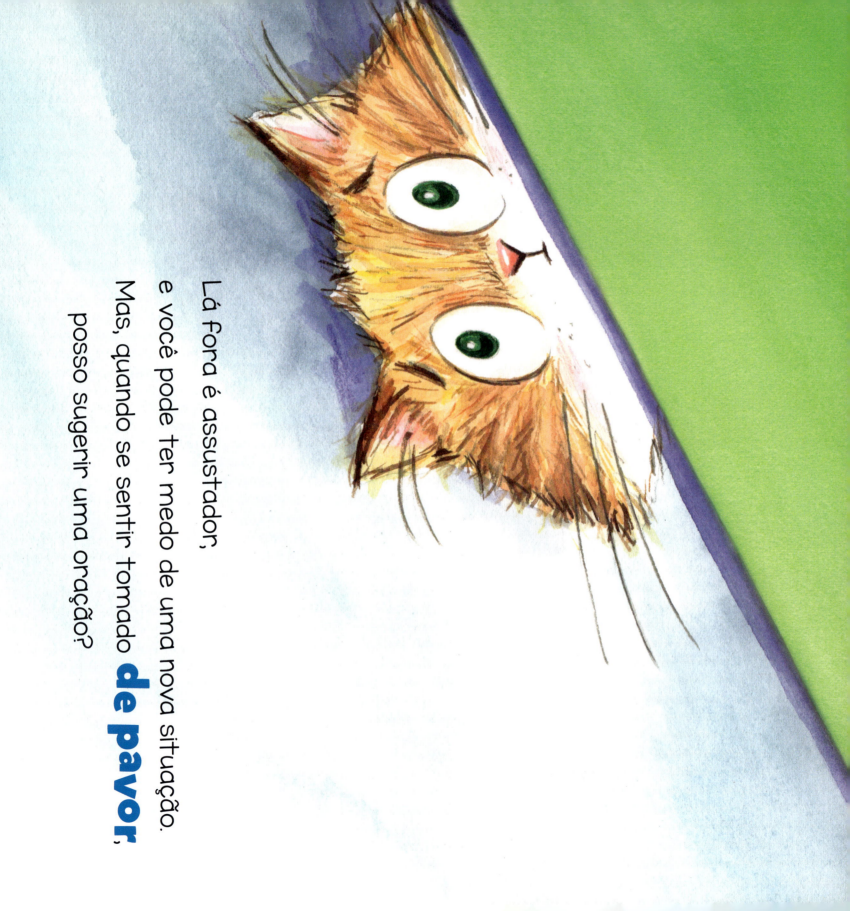

Eu sou um gato grande.
Eu sou um gato forte.
Não sou um **gatinho medroso** . . .
a não ser quando . . .

No zoológico, ouvi um **atchoooO!** bem grande.

Quem espirrou alto assim foi um elefante!

Na hora eu me escondi em uma lata de lixo: afinal, não sabia se era um monstro ou um bicho.

Teve um dia que uma **lagarta**
resolveu subir pela minha pata.
Ela ficou me olhando, toda inocente.
Puxa vida, eu não fiquei
NADA CONTENTE!

Às vezes você tem medo? **Tudo bem** se tiver. Quando sentir algum receio não precisa estremecer. Basta se voltar para Deus e dizer:

Eu sou um gato grande. Eu sou um gato forte.
Não sou um **gatinho medroso**...a não ser quando...

O padeiro foi descuidado
jogou **confeitos** pra todo lado!
Eram de **cores lindas**! Mas eu tremi só de pensar
que fosse cair outra chuva de granulado

O relógio fazia o seu **tique-taque**.

Para mim, cada som desses parecia um **BAQUE!**

Tapei meus ouvidos, e o choro engoli.

Confesso que o relógio eu sempre temi.

A chuva começou com umas **gotinhas** à toa, depois virou uma **tempestade** das boas. Tanta água deixou meu pelo bem ensopado. Foi por isso que eu fiquei tão chateado!

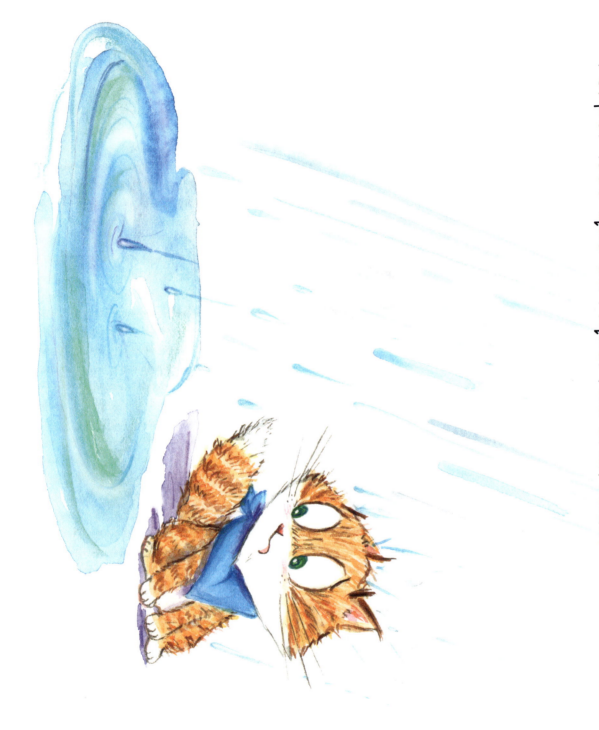

Na próxima vez que sentir vontade de chorar,
ou se você ficar tenso e com medo,
siga a minha sugestão e pare um pouquinho pra orar.
Sei o que dizer pra você ficar **feliz**
e ter **sossego**...